2

兒童
華語課本

CHILDREN'S
CHINESE READER

中英文版

Chinese-English
Edition

中華民國僑務委員會印行

漢字瑰寶 文化傳承

　　本會職司海外僑民教育工作，為協助僑社傳承中華文化，長年來研編正體字教材，作為海外華裔青年學習華語文及僑校推廣華文教育之用。「正體字」歷經長久發展，形、音、義多已定型，大體符合六書構字原則，且約八成左右為「形聲」字，其「部首表義」及「聲旁表音」的特性，有助於學習者輕鬆習得漢字，收到事半功倍之效果。正體字肩負五千年中華文化傳承與傳播的任務，現存古籍均使用正體字印刷，習得正體字，不僅可跨越橫向空間障礙，更可突破縱向時空壁壘，悠遊於不同時空背景之華語文世界，領略蘊藏其中的豐沛人文思想與智慧結晶；另正體字結構勻稱、形體優美，可發展出千姿百態的書體風範，成為一門獨特的藝術樣式，可謂既含學理，又兼藝術。

　　根據我國中央研究院院士鄭錦全博士研究指出，一般人對於一種語言所能掌握運用的詞語數量最多可達八千字；而中國大陸發表的簡化字僅 2,235 字，包含 482 個獨立的簡化字(如：笔/筆、车/車、风/風等)，以及由簡化偏旁(共 14 個，如讠/言、饣/食、纟/糸等)、獨立簡化字所衍生之 1,753 個字(如轧/軋、识/識、讽/諷、绉/縐等)，涵蓋面有限，且簡化字又「臆造新體」，破壞漢字形音義合一的特質，學者李鍌教授即指出簡化字形成「偏旁簡化不能全部類推」、「符號取代偏旁並無定則」、「個體簡化字偏旁不能類推」、「同音兼代紊亂漢字系統」、「既已簡化又有例外」、「任意省簡破壞字構之合理性」等學術研究與文字運用上的亂象，不利「古文字學」、「沿革地理學」、「歷史學」的研究，以及造成文字運用上簡繁轉換的混亂等影響。

　　雖然目前全球使用正體字與簡化字人口比例消長，海外華語文學習者在實際應用上需與世界接軌，但無論從提高學習效率、認識文化歷史、學習傳統文化、厚植文化底蘊、創造文化創造力、連結東亞文明、介入全球文化前景或者是一種美學欣賞的角度，正體字的學習都是非常有意義，且有其重要性與必要性。本會盼藉由「鞏固正體字，對照簡化字」之方式，以發行正簡對照教材之務實作法，順應海外教學趨勢，鼓勵先學正體字，再習兼識正簡，以正體字為載體，繼續創造最大的文化價值。

Chinese Characters – Our Cultural Treasure

One of the main missions of the Overseas Community Affairs Council (OCAC) of the Republic of China (Taiwan) is to promote the continuing education of the Chinese language among our compatriot communities abroad. To pass on this important cultural heritage, the OCAC has long been publishing educational materials printed in traditional characters, in lieu of simplified characters, so as to facilitate the younger generation to learn and appreciate the artistic beauty and innate values of the Chinese language.

Traditional characters have evolved alongside Chinese long history, and as a result, the characters have developed into logograms through shapes, pronunciation and meaning, which closely conform to the traditional Six Principles of Character (pictograph, ideograph, compound ideograph, phono-semantic compound, phonetic loan character and derivative cognate). Approximatively 80% of Chinese characters are phono-semantic compounds, also known as radical-phonetic characters, created by combining radicals on one side and phonetics on the other. Knowledge of these facts makes the learning of Chinese characters much easier, and is just half the battle!

Traditional Chinese characters have been in use for 5,000 years. Ancient classics and historical documents available nowadays are written or printed in traditional characters. Therefore, learning traditional characters can break through the limitations of time, travel through eras without the boundaries of words, as well as comprehend the treasure of civilization imbued with abundant human thoughts and wisdom. Additionally, a variety of calligraphy styles, both symmetric and aesthetic, help shape traditional characters into a unique and scholarly art.

Dr. Chin-chuan Cheng, member of the Academia Sinica, has pointed out in his research that the maximum number of words an average person may acquaint in a given language is about eight thousand. The simplified characters promulgated in Mainland China cover merely a total of 2,235 characters, including 482 independently simplified ones and 1,753 derived from simplified radicals and independently simplified ones. These limited number of characters, created without solid origin, have lost the traditional picto-phono-semantic traits sine qua non to Chinese characters.

Furthermore, another linguist, Professor Xian Li, has pointed out the limit of the simplified characters: "simplified radicals cannot be deduced and applied to all," "symbols replacing radicals have no established rules," "independently simplified radicals cannot be deduced," "the use of homophonic characters in a different contexts complicates the whole character system," "exceptions always found whenever simplification rules are applied," and "arbitrary simplifications destroy the logic of Chinese characters."

The intricate implications of learning simplified Chinese characters result in an inevitable imbroglio of academic research and linguistic application, jeopardizing related sciences such as paleography, historical geography and historiography.

Due to current practical need and global trend, the proportion of traditional characters users has considerably declined compared to that of simplified characters users. Yet learning traditional characters is nevertheless meaningful, important and necessary, if taken into account the following perspectives: pedagogical efficiency, cultural creativity, better understanding of Chinese traditional culture and history, cultural links to East Asian civilizations, involvement in a global cultural outlook, and an aesthetic appreciation of inherent beauty of Chinese characters.

It is our hope that by consolidating the learning of traditional characters, while providing simultaneously a comparison table scoping simplified characters, we can pragmatically provide useful teaching methodology to the overseas communities. By encouraging the study of traditional characters as a vector, and then comparing them with simplified characters in textbooks, we are convinced that this approach will create the ideal environment for the transmission of Chinese culture abroad, where both types of characters are currently prevalent.

序言

　　僑民教育在僑務工作中扮演著關鍵性的角色，海外僑教推展攸關文化扎根與傳承工作，也是維繫僑社發展的礎石，更是促使僑胞認同台灣，支持中華民國發展的動力。中華文化淵遠流長，我國長期對海外僑民教育之重視，不僅有助於文化傳承與發揚，更是代表政府重視僑胞服務之工作，藉由推展海外僑民教育，讓僑胞擁有與國內民眾相類似之教育資源，使旅居海外僑胞不論距離遠近均能感受到政府積極照顧之用心。

　　本會多年來邀集國內外專家開發了一系列適合各學齡階段的教材，不但涵蓋一般問候語至一般日常生活所需，並導入家庭、學校與人際互動所需運用之詞彙，透過生活化、自然之情境，使海外幼兒、兒童及青少年均能循序漸進的增進語文能

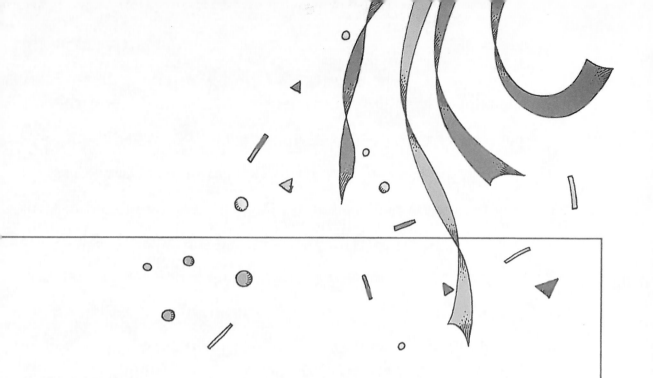

力，在教材的編撰及選材上，亦特別納入展現傳統生活智慧與
多元化的寓言故事、成語故事及華人民俗節慶等題材，寓優良
文化及品格教育於其中，使語文教育兼負傳承文化內涵之使
命。

　　本會所出版的教材，皆延請知名學者參與編纂，為與時俱
進，亦歷經多次重修，力求以最新、最完整的面貌呈現，我們
除了對本套教材編輯委員表達最深的感謝外，也同時對站在海
外第一線教學的華語教師們致上最高的敬意，期盼各界齊心同
力，使海外僑教工作與華語文教育更上一層樓。

僑務委員會

FOREWORD

Education of overseas Chinese plays a key role in the handling of overseas affairs. The passing down of Chinese culture depends on the promotion of education. In addition, education lays the groundwork for the development of overseas communities and is a driving force behind overseas Chinese to identify with Taiwan and support the development of the Republic of China. The ROC's long-standing emphasis on the education of overseas Chinese not only helps to promote Chinese culture but also indicats the ROC government's commitment to serve overseas Chinese. Promotion of Chinese education for overseas Chinese enables them to access educational resources comparable to those possessed by the citizens living in Taiwan, which allows them to feel that they are being well taken care of by the government here.

Over the years, the OCAC has commissioned experts from Taiwan and abroad to develop a series of textbooks suitable for children of various ages. These textbooks cover a wide variety of topics ranging from rudimentary vocabulary to words and expressions used in daily conversation. Meanwhile, words and phrases used at home, in school and peer group are also included in the textbooks. With the practical dialogues and natural scenes in the textbooks, children and youngsters can gradually improve their Chinese language ability. The textbooks contain fables and idioms along with the stories behind them, as well as information on Chinese folklore and festivals so that students can learn about the culture at the same time as they are learning the language.

The textbooks the OCAC publishes are all compiled by well-known academics and have undergone several revisions. As well as expressing our gratitude for those participating in the compilation of the textbooks, we would like to pay tribute to Chinese language teachers stationed overseas. I hope we can work together to improve the Chinese education of overseas Chinese and raise Chinese language education to a new level.

OCAC, Republic of China (Taiwan)

兒童華語課本中英文版編輯要旨

一、本書為中華民國僑務委員會為配合北美地區華裔子弟適應環境需要而編寫，教材全套共計課本十二冊、作業簿十二冊及教師手冊十二冊。另有電子版本同時刊載於「全球華文網路教育中心」網站（http://edu.ocac.gov.tw）。

二、本書編輯小組及審查委員會於中華民國七十七年十一月正式組成，編輯小組於展開工作前擬定三項原則及五項步驟，期能順利達成教學目標：

(一)三項原則——

(1)介紹中華文化與華人的思維方式，以期海外華裔子弟能了解、欣賞並接納我國文化。

(2)教學目標在表達與溝通，以期華裔子弟能聽、說、讀、寫，實際運用中文。

(3)教材內容大多取自海外華裔子弟當地日常生活，使其對課文內容產生認同感，增加實際練習機會。

⟮二⟯五項步驟——

　　(1)分析學習者實際需要,進而決定單元內容。

　　(2)依據兒童心理發展理論擬定課程大綱:由具體事
　　　物而逐漸進入抽象、假設和評估階段。

　　(3)決定字彙、詞彙和句型數量,合理地平均分配於
　　　每一單元。

　　(4)按照上述分析與組織著手寫作課文。

　　(5)增加照片、插圖、遊戲和活動,期能吸引學童注
　　　意力,在愉快的氣氛下有效率地學習。

三、本書第一至三冊俱採注音符號(ㄅ、ㄆ、ㄇ、ㄈ……)
　　及羅馬拼音。第四冊起完全以注音符號與漢字對照為
　　主。

四、本書適用對象包括以下三類學童:

　　⟮一⟯自第一冊開始——在北美洲土生土長、無任何華語
　　　基礎與能力者。

　　⟮二⟯自第二冊開始——因家庭影響,能聽說華語,卻不

識漢字者。

　　㈢自第五或第六冊開始──自國內移民至北美洲，稍
　　　具國內基本國語文教育素養；或曾於海外華文學校
　　　短期就讀，但識漢字不滿三百字者。

五、本書於初級華語階段，完全以注音符號第一式及第二
　　式介紹日常對話及句型練習，進入第三冊後，乃以海
　　外常用字作有計劃而漸進之逐字介紹，取消注音符號
　　第二式，並反覆練習。全書十二冊共介紹漢字 1160
　　個，字彙、詞彙共 1536 個，句型 217 個，足供海外
　　華裔子弟閱讀一般書信、報紙及書寫表達之用。並在
　　第十一冊、十二冊增編華人四大節日及風俗習慣作閱
　　讀的練習與參考。

六、本書教學方式採溝通式教學法，著重於日常生活中的
　　表達與溝通和師生間之互動練習。因此第一至七冊完
　　全以對話形態出現；第八冊開始有「自我介紹」、
　　「日記」、「書信」和「故事」等單元，以學生個人

生活經驗為題材，極為實用。

七、本書每一主題深淺度也配合著兒童心理之發展，初級
　　課程以具象實物為主，依語文程度和認知心理之發展
　　逐漸添加抽象思考之概念，以提升學生自然掌握華語
　　文實用能力。初級課程之生字與對話是以口語化的發
　　音為原則，有些字需唸輕聲，語調才能自然。

八、本書編輯旨意，乃在訓練異鄉成長的中華兒女，多少
　　能接受我中華文化之薰陶，毋忘根本，對祖國語言文
　　化維繫著一份血濃於水的情感。

九、本書含教科書、作業簿及教師手冊之編輯小組成員為
　　何景賢博士，宋靜如女士，及王孫元平女士，又經美
　　國及加拿大地區僑校教師多人及夏威夷大學賀上賢教
　　授參與提供意見，李芊小姐、文惠萍小姐校對，始克
　　完成。初版如有疏漏之處，尚祈教師與學生家長不吝
　　惠正。

Learning Chinese in the English Speaking Environment The Comparison between a Phonetic Symbol System and A Romanization System

Whether a Phonetic Symbol system or a Romanization System is a better way to learn Chinese in an English environment is still a controversial issue. The editors of this book suggest that children learn Phonetic Symbols from primary school onward so that they may get great benefits from it early. Their suggestion is based on the following points:

1. The difference between a Romanization System and the alphabet may cause recognition interference to the primary school children, especially the first and second graders. However, there is no interference if they learn Phonetic Symbols.

2. Critics complain that the 37 Phonetic Symbols are hard to memorize, while it is easier to learn the 26 letters of English alphabet. Actually , the fundamental goal of learning Chinese is to recognize and read Chinese characters, not just stay at the level of learning Phonetic Symbols or Romanization Systems. The Phonetic Symbols derived from the stroke of Chinese characters will be conducive to children in learning Chinese characters. Compared with the Phonetic Symbols, the Romanization Systems do not provide this advantage.

3. Many reading materials for children are written in traditional Chinese characters with the Phonetic Symbols inscribed on the side of the texts. This may enhance the children's Chinese language proficiency. The previous statement is based on 80 (or more) years of experiences in Chinese language teaching, from mainland China to Taiwan and other areas.

To teach children the Phonetic Symbols to learn Chinese does not mean to exclude learning a Romanization System. They can use the System from junior high onward, especially for keying in on PCs. They will find that a Romanization System works well.

目錄
Contents

第一課
Dì Yī Kè

妹妹的眼睛
Mèimeide yǎnjing

My Sister's Eyes

I 對 話

(Dialogue)

第 一 部 Dì Yī Bù	Part 1
王 芸 Wáng Yún	你的眼睛好大！ Nǐ de yǎnjing hǎu dà!
李欣欣 Lǐ Shin-shin	你的眼睛也好大！ Nǐ de yǎnjing yě hǎu dà!
王 芸 Wáng Yún	你的眼睛好漂亮！ Nǐ de yǎnjing hǎu piàuliang!
李欣欣 Lǐ Shin-shin	謝謝！你的眼睛也很漂亮！ Shièshie! Nǐ de yǎnjing yě hěn piàuliang!

二 部 Èr　Bù		Part　2

立
Lì

小弟，我問你。
Shǎudi,　wǒ wèn nǐ.

你有幾個耳朵？
Nǐ yǒu jǐge ěrduo ?

德
Dé

兩個。
Liǎngge.

立
Lì

你的耳朵在那兒？
Nǐ de ěrduō tzài nǎr ?

德
Dé

一個在這兒，
Yíge tzài jèr,

一個在那兒。
yíge tzài nàr.

立
Lì

對了，
Duèile,

一個在左邊兒，
yíge tzài tzuǒbiār,

一個在右邊兒。
yíge tzài yòubiār.

I 對話

(Dialogue)

李 Li	德 Dé	哥哥，請你閉上眼睛。 Gēge, chǐng nǐ bìshang yǎnjing
		我問你，我的鼻子在那兒？ Wǒ wèn nǐ, wǒ de bítz tzài nǎr?
李 Li	立 Lì	喔！在這兒。在眼睛下邊兒。 Ou! Tzài Jèr. Tzài yǎnjing shiàbiār.
李 Li	德 Dé	我的嘴巴在那兒？ Wǒ de tzuěiba tzài nǎr?
李 Li	立 Lì	在這兒。嘴巴在這兒。 Tzài jèr. Tzuěiba tzài jèr.
		你的嘴巴很小。 Nǐ de tzuěiba hěn shiǎu.
李 Li	德 Dé	我的眉毛在那兒？ Wǒ de méimau tzài nǎr?
李 Li	立 Lì	在這兒。 Tzài jèr.
		你的眉毛在眼睛上邊兒。 Nǐ de méimau tzài yǎnjing shàngbiār.

第三部	Part 3
李欣欣	王姐姐，你有幾隻手？
王芸	我有一雙手，
	也就是兩隻手。
	有幾隻手指？
李欣欣	我數數看。
	一，二，三，四，五，
	六，七，八，九，十。
	有十隻。

II 生字生詞

(Vocabulary & Expressions)

1. 眼睛（ㄐ一ㄥ）   eye

2. 好大（ㄉㄚˋ）   very large

3. 漂亮（ㄌㄧㄤ˙）   beautiful

4. 小弟（ㄉㄧˋ）   little brother

5. 問（ㄨㄣˋ）   to ask

6. 這兒（ㄦ）   here

7. 那兒（ㄦ）   there

8. 耳朵（ㄉㄨㄛ˙）   ear

9. 左（ㄗㄨㄛˇ）   left

10. 邊兒（ㄅㄧㄚㄦ）side

11. 右（ㄧㄡˋ）   right

12. 閉上（ㄕㄤˋ）   to close

13. 鼻子（ㄗ˙）   nose

14. 下（ㄒㄧㄚˋ）   under

15. 嘴巴（ㄅㄚ）   mouth

16. 眉毛（ㄇㄠˊ）   eyebrow

17. 上（ㄕㄤˋ）   above

18. 手（ㄕㄡˇ）   hand

雙 shuāng — pair (measure word)

也就是 yě jiòushr — that is

隻 jr — (measure word)

手指 shǒujǐ — finger

Ⅲ 句型練習

（ Pattern Practice ）

1.
眼睛
yǎnjing

你的 眼睛
nǐde yǎnjing

我的 眼睛
wǒde yǎnjing

妹妹的 眼睛
mèimeide yǎnjing

姐姐的 眼睛
jiějiede yǎnjing

姐姐的 眼睛 好大
Jiějiede yǎnjing hǎu dà

媽媽的 眼睛 也 好大
Māmade yǎnjing yě hǎu dà

王媽媽的 眼睛 也 好大
Wáng māmade yǎnjing yě hǎu dà

2.

我ㄨㄛˇ 問ㄨㄣˋ 你ㄋㄧˇ
wǒ wèn nǐ

你ㄋㄧˇ 有ㄧㄡˇ 幾ㄐㄧˇ 個ㄍㄜˋ 耳ㄦˇ 朵ㄉㄨㄛ ？
nǐ yǒu jǐge ěrduo

你ㄋㄧˇ 問ㄨㄣˋ 我ㄨㄛˇ
Nǐ wèn wǒ

眼ㄧㄢˇ 睛ㄐㄧㄥ ？
yǎnjing ?

他ㄊㄚ 問ㄨㄣˋ 你ㄋㄧˇ
Tā wèn nǐ

弟ㄉㄧˋ 弟ㄉㄧ ？
dìdi ?

你ㄋㄧˇ 問ㄨㄣˋ 他ㄊㄚ
Nǐ wèn tā

妹ㄇㄟˋ 妹ㄇㄟ ？
mèimei ?

3.

你ㄋㄧˇ 的ㄉㄜ 耳ㄦˇ 朵ㄉㄨㄛ 在ㄗㄞˋ 那ㄋㄚˇ 兒ㄦ ？
Nǐ de ěrduo tzài nǎr ?

眼ㄧㄢˇ 睛ㄐㄧㄥ
yǎnjing

朋ㄆㄥˊ 友ㄧㄡˇ
péngyǒu

鼻ㄅㄧˊ 子ㄗ
bítz

9

Ⅲ 句型練習

(Pattern Practice)

4.

一個 在這兒， 一個 在那兒。
Yíge tzài jèr, yíge tzài nèr.

左邊兒 右邊兒
tzuǒbiār yòubiār

上邊兒 下邊兒
shàngbiār shiàbiār

5.

眼睛在這兒， 嘴巴在那兒。
Yǎnjing tzài jèr tzuěiba tzài nèr.

爸爸在這兒， 媽媽在那兒。
Bàba tzài jèr, māma tzài nèr.

眉毛在上邊兒， 嘴巴在下邊兒。
Méimau tzài shàngbiār, tzuěiba tzài shiàbiār

哥哥在左邊兒， 姐姐在右邊兒。
Gēge tzài tzuǒbiār, jiějie tzài yòubiār.

6.

鼻子在眼睛下邊兒。
Bítz　tzài　yǎnjing　shiàbiar.

嘴巴在眼睛下邊兒。
Tzuěiba　tzài　yǎnjing　shiàbiǎr.

眉毛在眼睛上邊兒。
Méimau　tzài　yǎnjing　shàngbiǎr.

7.

我有一雙手，　也就是　兩隻手。
Wǒ yǒu yìshuāng shǒu,　yě　jiòushř　liǎngjr shǒu

她　　　眼睛　　　　兩隻眼睛
Tā　　　yǎnjing　　　liǎngjr　yǎnjing

IV 英 譯

(English Translation)

Part 1 :

王ㄨㄤˊ 芸ㄩㄣˊ Wáng Yún	Your eyes are so large!
李ㄌㄧˇ 欣ㄒㄧㄣ 欣ㄒㄧㄣ Lǐ Shīn－shīn	Your eyes are very large too!
王ㄨㄤˊ 芸ㄩㄣˊ Wáng Yún	Your eyes are so beautiful!
李ㄌㄧˇ 欣ㄒㄧㄣ 欣ㄒㄧㄣ Lǐ Shīn－shīn	Thanks! Your eyes are very beautiful too!

art 2：

李ㄌ一ˇ ㄧ	立ㄌ一ˋ Li	Shiau di. Let me ask you. How many ears do you have?
李ㄌ一ˇ ㄧ	德ㄉㄜˊ Dé	Two.
李ㄌ一ˇ ㄧ	立ㄌ一ˋ Li	Where are your ears?
李ㄌ一ˇ ㄧ	德ㄉㄜˊ Dé	One is here; the other is there.
李ㄌ一ˇ ㄧ	立ㄌ一ˋ Li	Right. One is on the left; the other is on the right.
李ㄌ一ˇ ㄧ	德ㄉㄜˊ Dé	Gege, please close your eyes. Let me ask you. Where's my nose?
李ㄌ一ˇ ㄧ	立ㄌ一ˋ Li	Oh! It's here. It's under your eyes.

Ⅳ英 譯

(English Translation)

李ㄌ一ˇ Lǐ	德ㄉㄜˊ Dé	Where is my mouth?
李ㄌ一ˇ Lǐ	立ㄌ一ˋ Lì	It's here. Your mouth is here. Your mouth is very small.
李ㄌ一ˇ Lǐ	德ㄉㄜˊ Dé	Where are my eyebrows?
李ㄌ一ˇ Lǐ	立ㄌ一ˋ Lì	They're here. Your eyebrows are above your eyes.

art 3：

李²ˇ欣ㄒ 欣ㄒ
.i Shin－shin

Wang Jie jie, how many hands do you have?

王ㄨˊ   芸ㄩˊ
Wáng   Yún

I have a pair of hands; that is,
two hands.
How many fingers do I have?

李²ˇ欣ㄒ 欣ㄒ
.i Shin－shin

Let me count.
One, two, three, four, five,
six, seven, eight, nine, ten.
Ten！

第二課
Dì Èr Kè

好大的西瓜
Hǎu dàde shīguā

Such a Large Watermelon

I 對 話

(Dialogue)

一 部 Yī Bù		Part 1

哇ㄨㄚ！ 好ㄏㄠˇ大ㄉㄚˋ的ㄉㄜ 西ㄒㄧ 瓜ㄍㄨㄚ！
Wa ! Hǎu dà de shiguā !

媽ㄇㄚ，切ㄑㄧㄝ 幾ㄐㄧˇ片ㄆㄧㄢˋ？
Mā, chiē jǐ piàn ?

一ㄧ 共ㄍㄨㄥˋ有ㄧㄡˇ幾ㄐㄧˇ個ㄍㄜˋ人ㄖㄣˊ？
Yígùng yǒu jǐge rén ?

我ㄨㄛˇ數ㄕㄨˇ數ㄕㄨˇ看ㄎㄢˋ。
Wǒ shǔshǔ kàn.

一ㄧ、二ㄦˋ、三ㄙㄢ、四ㄙˋ、五ㄨˇ、六ㄌㄧㄡˋ。
Yī, èr, sān, sż, wǔ, liòu.

一ㄧ共ㄍㄨㄥˋ是ㄕˋ六ㄌㄧㄡˋ個ㄍㄜˋ人ㄖㄣˊ。
Yígùng shż liòuge rén.

切ㄑㄧㄝ十ㄕˊ二ㄦˋ片ㄆㄧㄢˋ好ㄏㄠˇ嗎ㄇㄚ？
Chiē sh́ èr piàn hǎu ma ?

好ㄏㄠˇ啊ㄚ！ 一ㄧ個ㄍㄜˋ人ㄖㄣˊ兩ㄌㄧㄤˇ片ㄆㄧㄢˋ。
Hǎu a! Yíge rén liǎng piàn.

I 對 話

（ Dialogue ）

第 二 部 Dì Èr Bù	Part 2
李 德 Li Dé	小妹，西瓜是什麼顏色？ Shiǎumèi, shigua shr shémme yánsè ?
李欣欣 Li Shin-shin	西瓜是紅色的。 Shiguā shr húugsède.
李 德 Li Dé	不對。 Búduèi. 西瓜不是紅色的。 Shiguā búshr húngsède. 西瓜是綠色的。 Shiguā shr liùsède.
李 立 Li Li	不要吵！ Búyàu chǎu! 西瓜皮是綠色的， Shiguā pi shr liùsède, 可是裏邊兒是紅色的。 kěshr libiǎr shr húngsède.
媽 媽 Mā ma	對了！ Duèile!

西瓜外邊兒是綠色的，
Shiguā wàibiār shr liùsède,

裏邊兒是紅色的，
libiār shr húngsède,

西瓜子是黑色的。
shigua tz shr hēisède.

林一平，我問你。
Lin Yi-ping wǒ wèn ni.

香蕉是什麼顏色？
Shiangjiau shr shémme yánsè?

香蕉皮是黃的，
Shiangjiau pi shr huángde,

可是裏邊兒是白的。
kěshr libiār shr báide.

對了！
Dùeile!

II 生字生詞

(Vocabulary & Expressions)

1. 西瓜 shìguā — watermelon

2. 哇 wa — (exclamation word) Wow!

3. 切 chiē — cut

4. 片 piàn — (measure word) slice

5. 一共 yígùng — altogether, totally

6. 十二 shíèr — twelve

7. 小妹 shiǎumèi — little sister

8. 顏色 yánsè — color

9. 紅色 húngsè — red

10. 綠色 liùsè — green

11. 不要 búyào — do not; don't

12. 吵 chǎu — to argue

13. 皮 pí — peel, rind

14. 可是 kěshì — but

15. 裏邊兒（ㄅㄧㄚㄦ）lìbiār — inside

16. 外邊兒（ㄅㄧㄚㄦ）wàibiār — outside

17. 子 dž — seed

18. 黑色 hēisè — black

.香蕉 banana
shiāngjiāu

.黃色 yellow
huángsè

.白色 white
báisè

Ⅲ 句型練習

(Pattern Practice)

1.
西瓜
shīguā

大西瓜
dà shīguā

小西瓜
shiǎu shīguā

好大的西瓜
Hǎu dà de shīguā

好小的西瓜
Hǎu shiǎu de shīguā

好大的眼睛
Hǎu dà de yǎnjīng

好小的嘴巴
Hǎu shiǎu de tzuěiba

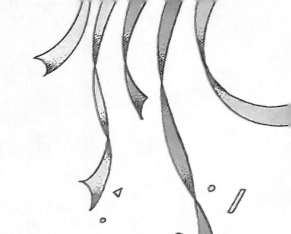

2.

切ㄑㄧㄝ 幾ㄐㄧˇ 片ㄆㄧㄢˋ？ 切ㄑㄧㄝ 五ㄨˇ 片ㄆㄧㄢˋ。
Chiē jǐ piàn ? Chiē wǔ piàn.

七ㄑㄧ
chī

九ㄐㄧㄡˇ
jiǒu

十ㄕˊ二ㄦˋ
shŕèr

3.

一ㄧˊ共ㄍㄨㄥˋ有ㄧㄡˇ幾ㄐㄧˇ個ㄍㄜ 人ㄖㄣˊ？
Yígùng yǒu jǐge rén

西ㄒㄧ瓜ㄍㄨㄚ ？
shīguā

耳ㄦˇ朵ㄉㄨㄛ ？
ěrduo

朋ㄆㄥˊ友ㄧㄡˇ ？
péngyou

23

Ⅲ 句型練習

(Pattern Practice)

4.

一個人一片。
Yíge rén yípiàn.

兩
liǎng

四
sz̀

兩個人一片。
Liǎngge rén yípiàn.

5.

西瓜是什麼顏色？　西瓜是紅色的。
Shīguā shr̀ shémme yánsè?　Shīguā shr̀ húngsède.

嘴巴　　　　　　　　嘴巴也是紅色的。
Tzuěiba　　　　　　　Tzuěiba yě shr̀ húngsède.

西瓜皮　　　　　　　西瓜皮是綠色的。
Shīguā pí　　　　　　Shīguā pí shr̀ liùsède.

香蕉皮　　　　　　　香蕉皮是黃色的。
Shiāngjiāu pí　　　　　Shiāngjiāu pí shr̀ huángsède.

6.

西瓜不是紅色的，西瓜是綠色的。
Shīguā búshr húngsède, shiguā shr liùsède.

西瓜不是綠色的，西瓜是紅色的。
Shīguā búshr liùsède, shiguā shr húngsède.

西瓜皮不是紅色的，西瓜皮是
Shīguā pí búshr húngsède, shiguā pí shr

綠色的。
liùsède.

7.

香蕉皮是黃的，可是裏邊兒是白的。
Shiāngjiāupí shr huángde, kěshr lǐbiar shr báide.

西瓜外邊兒是綠的，可是裏邊兒是
Shīguā wàibiar shr liùde, kěshr lǐbiar shr

紅的。
húngde.

Ⅳ英 譯

(English Translation)

Part 1：

林ㄌㄧㄣˊㄧㄧ平ㄆㄧㄥˊ
Lín Yì – píng

Wow! Such a large watermelon!

李ㄌㄧˇ 立ㄌㄧˋ
Lǐ   Lì

Mom, how many slices are you going to cut?

媽ㄇㄚ 媽ㄇㄚ˙
Mā   ma

Altogether, how many people are there?

李ㄌㄧˇ 立ㄌㄧˋ
Lǐ   Lì

Let me count.
One, two, three, four, five, six.
Six people altogether.

媽ㄇㄚ 媽ㄇㄚ˙
Mā   ma

What about twelve slices?

李ㄌㄧˇ 立ㄌㄧˋ
Lǐ   Lì

All right! Two for each person.

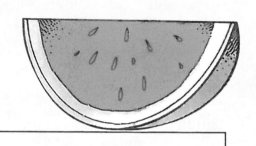

李ㄌ一ˇ 德ㄉㄜˊ
ㄌi Dé

Shiau mei,
　　what color is the watermelon?

李ㄌ一ˇ欣ㄒ一ㄣ欣ㄒ一ㄣ
ㄌi Shin－shin

Watermelon is red.

李ㄌ一ˇ 德ㄉㄜˊ
ㄌi Dé

No.Watermelon is not red.
Watermelon is green.

李ㄌ一ˇ 立ㄌ一ˋ
ㄌi Lì

Don't argue!
Watermelon rind is green, but the inside is red.

馬ㄇㄚ 媽ㄇㄚ
Mà ma

You're right.
The outside of the watermelon is green.
The inside is red. The seeds are black.

王ㄨㄤˊ 芸ㄩㄣˊ
Wáng Yún

林ㄌ一ㄣˊ一一平ㄆ一ㄥˊ, let me ask you.
Lín Yi－píng
What color are bananas?

Ⅳ英　譯

(English Translation)

林_{ㄌㄧㄣ}一_ㄧ平_{ㄆㄧㄥ}
Lín Yī – píng

The peel of the banana is yellow,
　but the inside is white.

王_{ㄨㄤ}　芸_{ㄩㄣ}
Wáng Yún

Right!

第三課
Dì Sān Kè

水果派
Shuěiguǒ pài

Fruit Pies

Ⅰ對 話

(Dialogue)

第 一 部 Dì Yī Bù	Part 1
李媽媽 Lǐ mā ma	王芸，你喜歡吃水果嗎？ Wáng Yún, nǐ shǐhuan chī shuěiguǒ ma?
王芸 Wáng Yún	喜歡。 Shǐhuan.
李媽媽 Lǐ mā ma	你喜歡吃什麼水果？ Nǐ shǐhuan chī shémme shuěiguǒ?
王芸 Wáng Yún	我愛吃香蕉、西瓜 Wǒ ài chī shiāngjiāu, shiguā 和蘋果。 hàn pingguǒ.
李媽媽 Lǐ mā ma	一平，你喜歡吃水果嗎？ Yī－ping, nǐ shǐhuan chī shuěiguǒ ma?
林一平 Lín Yī－píng	不喜歡。 Bù shǐhuan. 我很喜歡吃水果派。 Wǒ hěn shǐhuan chī shuěiguǒ pài.
李媽媽 Lǐ mā ma	你愛吃什麼水果派？ Nǐ ài chī shémme shuěiguǒ pài?

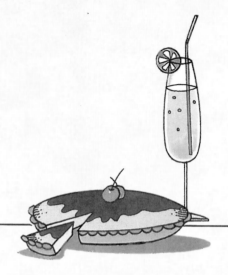

...ㄧ平 ...Yǐ-píng	我愛吃蘋果派、 草莓派 Wǒ ài chr pngguǒ pài, tsǎuméi pài, 和櫻桃派。 hàn yīngtáu pài.
欣欣 Shīn-shin	媽，我不喜歡吃派。 Mā, wǒ bùshǐhuan chr pài. 我喜歡吃新鮮的桃子、 Wǒ shǐhuan chr shīnshian de táutz, 藍莓和哈蜜瓜。 lánméi hàn hāmigua.
德 Dé	小妹，你能告訴我桃子、 Shiǎumèi, nǐ néng gàusu wǒ táutz, 藍莓和哈蜜瓜的顏色嗎？ lánméi hàn hāmiguā de yánsè ma?
欣欣 Shīn-shin	桃子是粉紅色的， Táutz shr fěnhúngsè de, 藍莓是藍色的， lánméi shr lánsè de, 哈蜜瓜是黃色的。 hāmiguā shr huángsè de.

I 對 話

(Dialogue)

第 二 部 Dì　Èr　Bù	Part　2
王ㄨㄤˊ　芸ㄩㄣˊ Wáng　Yún	你ㄋㄧˇ會ㄏㄨㄟˋ做ㄗㄨㄛˋ派ㄆㄞˋ嗎ㄇㄚ？ Nǐ　huèi　tzuò　pài　ma？
李ㄌㄧˇ欣ㄒㄧㄣ欣ㄒㄧㄣ Lǐ　Shīn－shīn	什ㄕㄜˊ麼ㄇㄜ派ㄆㄞˋ？ Shémme　pài？
王ㄨㄤˊ　芸ㄩㄣˊ Wáng　Yún	蘋ㄆㄧㄥˊ果ㄍㄨㄛˇ派ㄆㄞˋ。 Pingguǒ　pai.
李ㄌㄧˇ欣ㄒㄧㄣ欣ㄒㄧㄣ Lǐ　Shīn－shīn	不ㄅㄨˋ會ㄏㄨㄟˋ。我ㄨㄛˇ不ㄅㄨˋ會ㄏㄨㄟˋ做ㄗㄨㄛˋ蘋ㄆㄧㄥˊ果ㄍㄨㄛˇ派ㄆㄞˋ， Búhuèi.　Wǒ　búhuèi　tzuò　pingguǒ　pài, 可ㄎㄜˇ是ㄕˋ我ㄨㄛˇ會ㄏㄨㄟˋ做ㄗㄨㄛˋ草ㄘㄠˇ莓ㄇㄟˊ派ㄆㄞˋ。 kěshr̀　wǒ　huèi　tzuò　tsǎuméi　pài. 你ㄋㄧˇ呢ㄋㄜ？ Nǐ　ne？
王ㄨㄤˊ　芸ㄩㄣˊ Wáng　Yún	我ㄨㄛˇ會ㄏㄨㄟˋ做ㄗㄨㄛˋ蘋ㄆㄧㄥˊ果ㄍㄨㄛˇ派ㄆㄞˋ， Wǒ　huèi　tzuò　pingguǒ　pài, 可ㄎㄜˇ是ㄕˋ我ㄨㄛˇ不ㄅㄨˋ會ㄏㄨㄟˋ做ㄗㄨㄛˋ草ㄘㄠˇ莓ㄇㄟˊ派ㄆㄞˋ。 kěshr　wǒ　búhuèi　tzuò　tsǎuméi　pài.
李ㄌㄧˇ欣ㄒㄧㄣ欣ㄒㄧㄣ Lǐ　Shīn－shīn	蘋ㄆㄧㄥˊ果ㄍㄨㄛˇ派ㄆㄞˋ怎ㄗㄣˇ麼ㄇㄜ做ㄗㄨㄛˋ？ Pingguǒ　pài　tzěmme　tzuò？

芸
Yún

很簡單！
Hěn jiǎndān!

明天你來我家， 我可以
Míngtiàn nǐ lái wǒ jiā, wǒ kěyǐ

教你做。
jiāu nǐ tzuò.

欣欣
Shin－shin

好啊！
Hǎu a!

II 生字生詞

(Vocabulary & Expressions)

1. 水果 shuěiguǒ — fruit

2. 派 pài — pie

3. 喜歡 shǐhuan — to like

4. 愛 ài — to love

5. 蘋果 píngguǒ — apple

6. 草莓 tsǎuméi — strawberry

7. 櫻桃 yīngtáu — cherry

8. 新鮮的 shīnshiānde — fresh

9. 桃子 táutz — peach

10. 藍莓 lánméi — blueberry

11. 哈蜜瓜 hāmì gua — cantaloupe

12. 能 néng — to be able to

13. 告訴 gàusu — tell

14. 粉紅色 fěnhúngsè — pink

15. 藍色 lánsè — blue

16. 會 huèi — to know how

17. 做 tzuò — to make

18. 怎麼 tzěmme — how

34

簡ㄐㄧㄢˇ單ㄉㄢ easy, simple
jiǎndān

明ㄇㄧㄥˊ天ㄊㄧㄢ tomorrow
míngtiān

可ㄎㄜˇ以ㄧˇ can,
kěyǐ to be able to,
to be allowed to

教ㄐㄧㄠ to teach, to show
jiāu

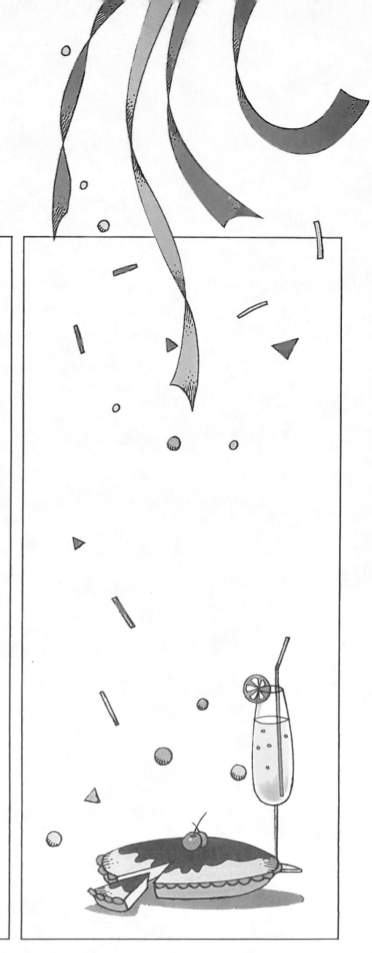

Ⅲ 句型練習

(Pattern Practice)

1.

你 喜歡 吃 水果 嗎？
Nǐ shǐhuan chī shuěiguǒ ma?

他 派
Tā pài

你 愛 香蕉
Nǐ ài shiāngjiāu

王芸 西瓜
Wáng Yún shiguā

2.

你 喜歡 吃 什麼 水果？
Nǐ shǐhuan chī shémme shuěiguǒ?

他 喜歡 派
Tā shǐhuan pài

李立 愛 點心
Lǐ Lì ài diǎnshǐn

王芸 愛 冰淇淋
Wáng Yún ài bingchílín

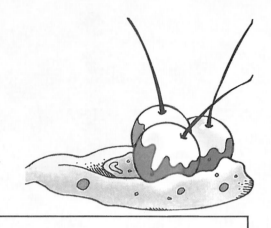

3.

蘋果
píngguǒ

吃 蘋果
chī píngguǒ

愛吃 蘋果
ài chī píngguǒ

很愛吃 蘋果
hěn ài chī píngguǒ

我很愛吃 蘋果
wǒ hěn ài chī píngguǒ

我們 很愛吃 蘋果
wǒmen hěn ài chī píngguǒ

Ⅲ 句型練習

(Pattern Practice)

4.

你ㄋㄧˇ 能ㄋㄥˊ 告ㄍㄠˋ訴ㄙㄨˋ 我ㄨㄛˇ 桃ㄊㄠˊ子ㄗ的ㄉㄜ 顏ㄧㄢˊ色ㄙㄜˋ 嗎ㄇㄚ？
Nǐ néng gàusu wǒ táutz de yánsè ma?

能ㄋㄥˊ　　　　　　　　他ㄊㄚ的ㄉㄜ 名ㄇㄧㄥˊ字ㄗ
néng　　　　　　　　　　tāde mingtz

可ㄎㄜˇ以ㄧˇ　　　　她ㄊㄚ 草ㄘㄠˇ莓ㄇㄟˊ的ㄉㄜ 顏ㄧㄢˊ色ㄙㄜˋ
kěyi　　　　　　tā tsăuméi de yánsè

可ㄎㄜˇ以ㄧˇ　　　　王ㄨㄤˊ芸ㄩㄣˊ哈ㄏㄚ蜜ㄇㄧˋ瓜ㄍㄨㄚ的ㄉㄜ 顏ㄧㄢˊ色ㄙㄜˋ
kěyi　　　　　Wáng Yún hāmiguā de yánsè

5.

你ㄋㄧˇ會ㄏㄨㄟˋ做ㄗㄨㄛˋ派ㄆㄞˋ　　　　嗎ㄇㄚ？
Nǐ huèi tzuò pài　　　　ma

點ㄉㄧㄢˇ　心ㄒㄧㄣ
diănshin

爆ㄅㄠˋ米ㄇㄧˇ花ㄏㄨㄚ
bàu mǐhuā

餅ㄅㄧㄥˇ　乾ㄍㄢ
binggān

冰ㄅㄧㄥ淇ㄑㄧˊ淋ㄌㄧㄣˊ
bingchilín

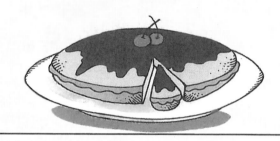

6.

蘋ㄆㄧㄥˊ果ㄍㄨㄛˇ派ㄆㄞˋ　怎ㄗㄣˇ麼ㄇㄜ˙做ㄗㄨㄛˋ？
Píngguǒ pài　tzěmme tzuò?

香ㄒㄧㄤ蕉ㄐㄧㄠ派ㄆㄞˋ
Shiāngjiāu pài

冰ㄅㄧㄥ淇ㄑㄧˊ淋ㄌㄧㄣˊ
Bīngchílín

7.

你ㄋㄧˇ能ㄋㄥˊ告ㄍㄠˋ訴ㄙㄨ˙我ㄨㄛˇ蘋ㄆㄧㄥˊ果ㄍㄨㄛˇ派ㄆㄞˋ怎ㄗㄣˇ麼ㄇㄜ˙做ㄗㄨㄛˋ嗎ㄇㄚ˙？
Nǐ néng gàusu wǒ pínggǔo pài tzěmme tzuò ma?

餅ㄅㄧㄥˇ乾ㄍㄢ
bǐnggān

爆ㄅㄠˋ米ㄇㄧˇ花ㄏㄨㄚ
bàu mǐhuā

8.

你ㄋㄧˇ來ㄌㄞˊ我ㄨㄛˇ家ㄐㄧㄚ，　我ㄨㄛˇ可ㄎㄜˇ以ㄧˇ教ㄐㄧㄠ你ㄋㄧˇ做ㄗㄨㄛˋ。
Nǐ lái wǒ jiā,　wǒ kéyi jiāu nǐ tzuò.

你ㄋㄧˇ去ㄑㄩˋ他ㄊㄚ家ㄐㄧㄚ，　他ㄊㄚ會ㄏㄨㄟˋ教ㄐㄧㄠ你ㄋㄧˇ做ㄗㄨㄛˋ。
Nǐ chiù tā jiā,　tā huèi jiāu nǐ tzuò.

Ⅳ英 譯

（ English Translation ）

Part 1：

李ㄌㄧˇ媽ㄇㄚ媽˙ 　　王ㄨㄤˊ 芸ㄩㄣˊ ， do you like to eat fruit?
Lǐ mā ma 　　Wáng Yún

王ㄨㄤˊ 芸ㄩㄣˊ 　　Yes, I do.
Wáng Yún

李ㄌㄧˇ媽ㄇㄚ媽˙ 　　What kind of fruit do you like?
Lǐ mā ma

王ㄨㄤˊ 芸ㄩㄣˊ 　　I love to eat bananas, watermelons and apples.
Wáng Yún

李ㄌㄧˇ媽ㄇㄚ媽˙ 　　一 平, do you like fruit?
Lǐ mā ma 　　 Yī – píng

林ㄌㄧㄣˊ一一 平ㄆㄥˊ 　　No. I like fruit pie very much.
Lín Yī – píng

李ㄌㄧˇ媽ㄇㄚ媽˙ 　　What kind of fruit pie do you like?
Lǐ mā ma

林_{ㄌㄧㄣˊ} 一_ㄧ 平_{ㄆㄧㄥˊ}
Lín Yì – píng

I love to eat apple pie, strawberry pie,
and cherry pie.

李_{ㄌㄧˇ}欣_{ㄒㄧㄣ}欣_{ㄒㄧㄣ}
Lǐ Shīn – shīn

Mom, I don't like to eat pie. I like to eat fresh
peaches, blueberries and cantaloupes.

李_{ㄌㄧˇ}   德_{ㄉㄜˊ}
Lǐ   Dé

Shiau mei, can you tell me the colors. of
peaches, blueberries and cantaloupes?

李_{ㄌㄧˇ}欣_{ㄒㄧㄣ}欣_{ㄒㄧㄣ}
Lǐ Shīn – shīn

Peaches are pink;
blueberries are blue;
cantaloupe is yellow.

IV 英 譯

(English Translation)

Part 2：

王 Wáng 芸 Yún — Do you know how to make pie?

李 Lǐ 欣欣 Shīn – shīn — What kind of pie?

王 Wáng 芸 Yún — Apple pie.

李 Lǐ 欣欣 Shīn – shīn — No. I don't know how to make apple pie, but I know how to make strawberry pie. What about you?

王 Wáng 芸 Yún — I know how to make apple pie, but I don't know how to make strawberry pie.

李 Lǐ 欣欣 Shīn – shīn — How do you make apple pie?

王ㄨㄤˊ 芸ㄩㄣˊ
Wáng Yún

It's very easy.
Come to my house tomorrow, and I can show you how.

李ㄌㄧˇ欣ㄒㄧㄣ欣ㄒㄧㄣ
Lǐ Shin – shin

Good!

第四課
Dì Sì Kè

吃飯
Chīfàn

Having a Meal

I 對 話

（ Dialogue ）

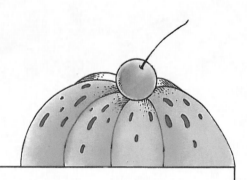

		Part 1
一 Yī	部 Bù	

李 Lǐ：王芸，你們家早飯吃什麼？
Wáng Yún, nǐmen jiā tzǎufàn chr shémme?

芸 Yún：我們吃土司、蛋和起司。
Wǒmen chr tǔsz, dàn hàn chisz.

李 Lǐ：喝什麼呢？
Hē shémme ne?

芸 Yún：喝牛奶。你們家呢？
Hē nióunǎi. Nǐmen jiā ne?

李 Lǐ：我們也吃土司。
Wǒmen yě chr tǔsz.

我爸爸喝咖啡，媽媽喝茶。
Wǒ bàba hē kāfēi, māma hē chá.

我和弟弟、妹妹喝牛奶。
Wǒ hàn dìdi, mèimei hē nióunǎi.

I 對 話

(Dialogue)

第 二 部 Dì Èr Bù	Part 2
王 ㄨㄤˊ 芸 ㄩㄣˊ Wáng Yún	媽 ㄇㄚ , 我 ㄨㄛˇ 回 ㄏㄨㄟˊ 來 ㄌㄞˊ 了 ㄌㄜ 。 Mā, wǒ huéiláile.
媽 ㄇㄚ 媽 ㄇㄚ Mā ma	晚 ㄨㄢˇ 飯 ㄈㄢˋ 好 ㄏㄠˇ 了 ㄌㄜ 。 去 ㄑㄩˋ 洗 ㄒㄧˇ 洗 ㄒㄧˇ 手 ㄕㄡˇ 。 Wǎnfàn hǎule. Chiù shǐshǐ shǒu.
王 ㄨㄤˊ 芸 ㄩㄣˊ Wáng Yún	好 ㄏㄠˇ ！ Hǎu ！
	(washing her hands)
	媽 ㄇㄚ , 今 ㄐㄧㄣ 天 ㄊㄧㄢ 晚 ㄨㄢˇ 飯 ㄈㄢˋ 吃 ㄔ 什 ㄕˊ 麼 ㄇㄜ ？ Mā, jīntiān wǎnfàn chī shémme ？
媽 ㄇㄚ 媽 ㄇㄚ Mā ma	漢 ㄏㄢˋ 堡 ㄅㄠˇ 、 蔬 ㄕㄨ 菜 ㄘㄞˋ 和 ㄏㄢˋ 玉 ㄩˋ 米 ㄇㄧˇ 湯 ㄊㄤ 。 Hànbǎu, shūtsài hàn yùmi tāng.
王 ㄨㄤˊ 芸 ㄩㄣˊ Wáng Yún	我 ㄨㄛˇ 好 ㄏㄠˇ 渴 ㄎㄜˇ ！ Wǒ hǎu kě ！
	我 ㄨㄛˇ 要 ㄧㄠˋ 喝 ㄏㄜ 點 ㄉㄧㄢˇ 兒 ㄦ 橘 ㄐㄩˊ 子 ㄗ 汁 ㄓ 。 Wǒ yàu hē diǎr jiútz jř.
媽 ㄇㄚ 媽 ㄇㄚ Mā ma	橘 ㄐㄩˊ 子 ㄗ 汁 ㄓ 在 ㄗㄞˋ 冰 ㄅㄧㄥ 箱 ㄒㄧㄤ 裏 ㄌㄧˇ 。 Jiútz jř tzài bīnggshiāng li.

		Part 3

三 部
Sān Bù

媽 ma
幫ㄅㄤ 個ㄍㄜ 忙ㄇㄤˊ 好ㄏㄠˇ 嗎ㄇㄚ ？
Bāngge máng hǎu ma?

立ㄌㄧˋ Lì
什ㄕㄜˊ 麼ㄇㄜ 事ㄕˋ ？
Shémme shì?

媽 ma
拌ㄅㄢˋ 拌ㄅㄢˋ 意ㄧˋ 大ㄉㄚˋ 利ㄌㄧˋ 麵ㄇㄧㄢˋ 。
Bànban yìdàlì miàn.

立ㄌㄧˋ Lì
沒ㄇㄟˊ 問ㄨㄣˋ 題ㄊㄧˊ 。
Méi wèntí.

媽ㄇㄚ ，今ㄐㄧㄣ 天ㄊㄧㄢ 晚ㄨㄢˇ 飯ㄈㄢˋ 喝ㄏㄜ 什ㄕㄜˊ 麼ㄇㄜ 湯ㄊㄤ ？
Ma, jīntiān wǎnfàn hē shémme tāng?

媽 ma
牛ㄋㄧㄡˊ 肉ㄖㄡˋ 湯ㄊㄤ 。
Nióu ròu tāng.

喔ㄛ ！對ㄉㄨㄟˋ 了ㄌㄜ ！我ㄨㄛˇ 差ㄔㄚ 點ㄉㄧㄢˇ 兒ㄦ 忘ㄨㄤˋ 了ㄌㄜ 。
Ou! Duèile! Wǒ chàdiǎr wàngle.

我ㄨㄛˇ 叫ㄐㄧㄠˋ 了ㄌㄜ 個ㄍㄜ 披ㄆㄧ 薩ㄙㄚˋ 。
Wǒ jiàule ge pīsà.

立ㄌㄧˋ Lì
好ㄏㄠˇ 棒ㄅㄤˋ ！
Hǎu bàng!

II 生字生詞

(Vocabulary & Expressions)

1. 吃饭 chīfàn — to have a meal

2. 早飯 tzǎufàn — breakfast

3. 土司 tǔsz — toast

4. 蛋 dàn — egg

5. 起司 chǐsz — cheese

6. 牛奶 nióunǎi — milk

7. 咖啡 kāfēi — coffee

8. 茶 chá — tea

9. 好了 hǎule — (to be) ready

10. 洗 shǐ — to wash

11. 今天 jīntian — today

12. 晚飯 wǎnfaǹ — dinner

13. 漢堡 hànbǎu — hamburger

14. 蔬菜 shūtsài — vegetables

15. 玉米湯 yùmi tāng — corn soup

16. 渴 kě — thirsty

17. 橘子汁 jiútz jr — orange juice

18. 冰箱 bīngshiāng — refrigerator

幫（個）忙 bāng (ge) máng — to give (me) a hand

事 shì — matter, thing

拌 bàn — to mix

意大利麵 yìdàli miàn — spaghetti

沒問題 méi wèntí — no problem

牛肉 nióuròu — beef

差點兒 chàdiǎr — almost

忘 wàng — to forget

叫 jiàu — to order

28. 披薩 pisà — pizza

29. 好棒 hǎu bàng — great

Ⅲ 句型練習

（ Pattern Practice ）

1.

你ㄋㄧˇ們ㄇㄣ家ㄐㄧㄚ早ㄗㄠˇ飯ㄈㄢˋ吃ㄔ 什ㄕㄜˊ麼ㄇㄜ˙ ？
Nǐmen jiā tzǎufàn chr shémme ?

他ㄊㄚ們ㄇㄣ家ㄐㄧㄚ晚ㄨㄢˇ飯ㄈㄢˋ
Tāmen jiā wǎnfàn

王ㄨㄤˊ芸ㄩㄣˊ家ㄐㄧㄚ早ㄗㄠˇ飯ㄈㄢˋ
Wáng Yún jiā tzǎufàn

李ㄌㄧˇ立ㄌㄧˋ家ㄐㄧㄚ晚ㄨㄢˇ飯ㄈㄢˋ
Lǐ Lì jiā wǎnfàn

2.

我ㄨㄛˇ們ㄇㄣ吃ㄔ 土ㄊㄨˇ司ㄙ、 蛋ㄉㄢˋ 和ㄏㄢˋ起ㄑㄧˇ司ㄙ。
Wǒmen chr tǔsz, dàn hàn chisz.

他ㄊㄚ們ㄇㄣ吃ㄔ 西ㄒㄧ瓜ㄍㄨㄚ、 香ㄒㄧㄤ蕉ㄐㄧㄠ和ㄏㄢˋ蘋ㄆㄧㄥˊ果ㄍㄨㄛˇ。
Tāmen chr shiguā, shiāngjiāu hàn píngguǒ.

你ㄋㄧˇ們ㄇㄣ喝ㄏㄜ牛ㄋㄧㄡˊ奶ㄋㄞˇ、 咖ㄎㄚ啡ㄈㄟ和ㄏㄢˋ茶ㄔㄚˊ。
Nǐmen hē nióunǎi, kāfēi hàn chá.

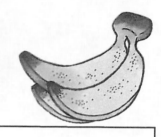

3.

爸爸 喝 咖啡 ，　　媽媽 喝 茶。
Bàba　hē　kāfei,　　māma　hē　chá.

弟弟 喝 牛奶 ，　　妹妹 喝 可樂。
Dìdi　hē　nióunǎi,　　mèimei　hē　kělè.

我 吃 西瓜 ，　　你 吃 香蕉。
Wǒ　chī　shiguā,　　nǐ　chī　shiāngjiāu.

4.

今天　　晚飯　吃 什麼 ？
Jīntiān　wǎnfàn　chī　shémme ?

今天　　早飯
Jīntiān　tzǎufàn

明天　　晚飯
Míngtiān　wǎnfàn

明天　　早飯
Míngtiān　tzǎufàn

Ⅲ 句型練習

（ Pattern Practice ）

5.

我ㄨㄛˇ 要ㄧㄠˋ 喝ㄏㄜ 點ㄉㄧㄢˇ兒ㄦ 橘ㄐㄩˊ子ㄗ 汁ㄓ 。
Wǒ yàu hē diǎr jiútz jr.

我ㄨㄛˇ們ㄇㄣ　　　　　可ㄎㄜˇ樂ㄌㄜˋ
Wǒmen　　　　　kělè

她ㄊㄚ　　　　　咖ㄎㄚ 啡ㄈㄟ
Tā　　　　　kāfeî

王ㄨㄤˊ芸ㄩㄣˊ要ㄧㄠˋ吃ㄔ 點ㄉㄧㄢˇ兒ㄦ 哈ㄏㄚ 蜜ㄇㄧˋ瓜ㄍㄨㄚ 。
Wáng Yún yàu chr diǎr hāmiguā.

李ㄌㄧˇ立ㄌㄧˋ　　　　　草ㄘㄠˇ莓ㄇㄟˊ派ㄆㄞˋ
Lǐ Lì　　　　　tsǎuméi pài

6.

橘ㄐㄩˊ子ㄗ 汁ㄓ 在ㄗㄞˋ冰ㄅㄧㄥ 箱ㄒㄧㄤ 裏ㄌㄧ 。
Jiútz jr tzài bīngshiāng li.

妹ㄇㄟˋ 妹ㄇㄟ 後ㄏㄡˋ院ㄩㄢˋ兒ㄦ
Mèimei hòuyuàr

弟ㄉㄧˋ 弟ㄉㄧ 林ㄌㄧㄣˊ老ㄌㄠˇ師ㄕ 家ㄐㄧㄚ
Dìdi Lín lǎushr jiā

林ㄌㄧㄣˊ一ㄧ 平ㄆㄧㄥˊ 我ㄨㄛˇ 家ㄐㄧㄚ
Lín Yī-píng wǒ jiā

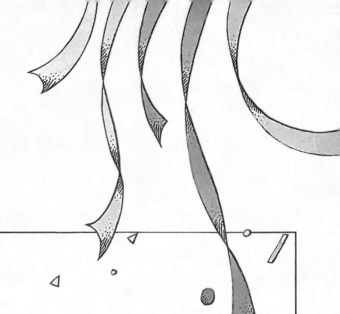

7.

幫個忙
bāng ge máng

幫個忙好嗎
bāng ge máng hǎu ma

幫我個忙好嗎
bāng wǒ ge máng hǎu ma

請幫我個忙好嗎
chǐng bāng wǒ ge máng hǎu ma

請你幫我（一）個忙好嗎？
Chǐng nǐ bāng wǒ (yí) ge máng hǎu ma?

Ⅲ 句型練習

(Pattern Practice)

8.

披薩
pīsà

叫披薩
jiào pīsà

叫個披薩
jiào ge pīsà

叫兩個披薩
jiào liǎng ge pīsà

叫了兩個披薩
jiào le liǎng ge pīsà

我叫了兩個披薩
wǒ jiào le liǎng ge pīsà

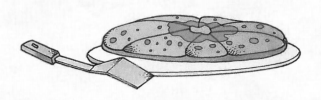

Ⅳ 英 譯

(English Translation)

李 ㄌㄧˇ   立 ㄌㄧˋ
Li   Lì

王 ㄨㄤˊ 芸 ㄩㄣˊ, what does your family have for breakfast?
Wáng Yún

王 ㄨㄤˊ   芸 ㄩㄣˊ
áng   Yún

We have toast, eggs and cheese.

李 ㄌㄧˇ   立 ㄌㄧˋ
Li   Lì

What do you drink?

王 ㄨㄤˊ   芸 ㄩㄣˊ
áng   Yún

Milk.   What about you?

李 ㄌㄧˇ   立 ㄌㄧˋ
Li   Lì

We also have toast.
My dad drinks coffee.   Mom drinks tea.
    My younger brother, sister and I drink milk.

Ⅳ英 譯

(English Translation)

Part 2 :

王ㄨㄤˊ 芸ㄩㄣˊ
Wáng Yún

I'm back, Mom.

媽ㄇㄚ 媽˙ㄇㄚ
Ma ma

Dinner is ready.
Go wash your hands.

王ㄨㄤˊ 芸ㄩㄣˊ
Wáng Yún

All right!

(washing her hands)
What are we having for dinner tonight, Mom?

媽ㄇㄚ 媽˙ㄇㄚ
Mā ma

Hamburgers, vegetables and corn soup.

王ㄨㄤˊ 芸ㄩㄣˊ
Wáng Yún

I'm so thirsty. I want to drink some orange juice.

媽ㄇㄚ 媽˙ㄇㄚ
Mā ma

The orange juice is in the refrigerator.

art 3 :

馬ㄇㄚ / Iā	媽ㄇㄚ / ma	How about giving me a hand?
李ㄌㄧ / Ii	立ㄌㄧ丶 / Lì	What can I help you with?
馬ㄇㄚ / Iā	媽ㄇㄚ / ma	Mix the spaghetti.
李ㄌㄧ / Ii	立ㄌㄧ丶 / Lì	No problem.　Mom, what soup do we have for dinner tonight?
馬ㄇㄚ / Ia	媽ㄇㄚ / ma	Beef soup. Oh! I almost forgot. I ordered a pizza.
李ㄌㄧ / Ii	立ㄌㄧ丶 / Lì	Great!

生字生詞索引 | Index

	ㄇ		
ㄇㄟ	眉ㄇㄟˊ毛ㄇㄠˊ	eyebrow	1-6
	沒ㄇㄟˊ問ㄨㄣˋ題ㄊㄧˊ	no problem	4-49
ㄇㄥ	明ㄇㄧㄥˊ天ㄊㄧㄢ	tomorrow	3-35

	ㄈ		
ㄈㄣ	粉ㄈㄣˇ紅ㄏㄨㄥˊ色ㄙㄜˋ	pink	3-34

	ㄅ		
ㄅㄢ	蛋ㄉㄢˋ	egg	4-48

	ㄊ		
ㄊㄠ	桃ㄊㄠˊ子ㄗ	peach	3-34
ㄊㄨ	土ㄊㄨˇ司ㄙ	toast	4-48

	ㄋ		
ㄋㄚ	那ㄋㄚˋ兒ㄦ	there	1-6
ㄋㄥ	能ㄋㄥˊ	to be able to	3-34
ㄋㄡ	牛ㄋㄧㄡˊ奶ㄋㄞˇ	milk	4-48
	牛ㄋㄧㄡˊ肉ㄖㄡˋ	beef	4-49

	ㄌ		
ㄌㄢ	藍ㄌㄢˊ莓ㄇㄟˊ	blueberry	3-34

生字生詞索引 | Index

國語注音符號	生 字 生 詞 Vocabulary & Expressions	英　　　　　譯 English Translation	課 次 及 頁 次 Lesson Page
	ㄅ		
	藍ㄌㄢˊ色ㄙㄜˋ	blue	3-34
ㄌㄧ	裏ㄌㄧˇ邊ㄅㄧㄢ兒ㄦ	inside	2-20
ㄌㄩ	綠ㄌㄩˋ色ㄙㄜˋ	green	2-20
	ㄍ		
ㄍㄠ	告ㄍㄠˋ訴ㄙㄨˋ	to tell	3-34
	ㄎ		
ㄎㄚ	咖ㄎㄚ啡ㄈㄟ	coffee	4-48
ㄎㄜ	可ㄎㄜˇ以ㄧˇ	can, to be able to to be allowed to	3-35
	渴ㄎㄜˇ	thirsty	4-48
	可ㄎㄜˇ是ㄕˋ	but	2-20
	ㄏ		
ㄏㄚ	哈ㄏㄚ蜜ㄇㄧˋ瓜ㄍㄨㄚ	cantaloupe	3-34
ㄏㄟ	黑ㄏㄟ色ㄙㄜˋ	black	2-20
ㄏㄠ	好ㄏㄠˇ棒ㄅㄤˋ	great	4-49
	好ㄏㄠˇ大ㄉㄚˋ	very large	1-6

	好了	(to be) ready	4-48
ㄏㄢ	漢堡	hamburger	4-48
ㄏㄨㄟ	會	to know how	3-34
ㄏㄨㄤ	黃色	yellow	2-21
ㄍㄨㄥ	紅色	red	2-20
		ㄐ	
ㄐㄠ	教	to teach, to show	3-35
	叫	to order	4-49
ㄐㄢ	簡單	easy, simple	3-35
ㄐㄣ	今天	today	4-48
ㄐㄩ	橘子汁	orange juice	4-48
		ㄑ	
ㄑㄧ	起司	cheese	4-48
ㄑㄧㄝ	切	cut	2-20
		ㄒ	
ㄒㄧ	西瓜	watermelon	2-20
	洗	to wash	4-48
	喜歡	to like	3-34

	事ㄕˋ	matter, thing	4-49
ㄕㄡ	手ㄕㄡˇ	hand	1-6
	手ㄕㄡˇ指ㄓˇ	finger	1-7
ㄕㄤ	上ㄕㄤˋ	above	1-6
ㄕㄨ	蔬ㄕㄨ菜ㄘㄞˋ	vegetables	4-48
ㄕㄨㄟ	水ㄕㄨㄟˇ果ㄍㄨㄛˇ	fruit	3-34
ㄕㄨㄤ	雙ㄕㄨㄤ	pair(measure word)	1-7

<table>
<tr><td colspan="4" align="center">ㄗ</td></tr>
</table>

ㄗ	子ㄗˇ	seed	2-20
ㄗㄜ	怎ㄗㄣˇ麼ㄇㄜ	how	3-34
ㄗㄠ	早ㄗㄠˇ飯ㄈㄢˋ	breakfast	4-48
ㄗㄨㄛ	左ㄗㄨㄛˇ	left	1-6
	做ㄗㄨㄛˋ	to make	3-34
ㄗㄨㄟ	嘴ㄗㄨㄟˇ巴ㄅㄚ	mouth	1-6

<table>
<tr><td colspan="4" align="center">ㄘ</td></tr>
</table>

ㄘㄠ	草ㄘㄠˇ莓ㄇㄟ	strawberry	3-34

<table>
<tr><td colspan="4" align="center">ㄞ</td></tr>
</table>

ㄞ	愛ㄞˋ	to love	3-34

生字生詞索引 Index

國語 注意 符號	生 字 生 詞 Shengtz Shengtsz Vocabulary & Expressions	英　　　　　　　　　　　　　　　譯 English Translation	課 次 及 頁 次 Lesson Page
儿			
儿	耳ㄦˇ朵ㄉㄨㄛˇ	ear	1-6
一			
一	一ㄧˊ共ㄍㄨㄥˋ	altogether, totally	2-20
	意ㄧˋ大ㄉㄚˋ利ㄌㄧˋ麵ㄇㄧㄢˋ	spaghetti	4-49
一ㄝ	也ㄧㄝˇ就ㄐㄧㄡˋ是ㄕˋ	that is	1-7
一ㄡ	右ㄧㄡˋ	right	1-6
一ㄢ	顏ㄧㄢˊ色ㄙㄜˋ	color	2-20
	眼ㄧㄢˇ睛ㄐㄧㄥ	eye	1-6
一ㄥ	櫻ㄧㄥ桃ㄊㄠˊ	cherry	3-34
ㄨ			
ㄨㄚ	哇ㄨㄚˋ	(exclamation word) wow	2-20
ㄨㄞ	外ㄨㄞˋ邊ㄅㄧㄢ兒ㄦ	outside	2-20
ㄨㄢ	晚ㄨㄢˇ飯ㄈㄢˋ	dinner	4-48
ㄨㄣ	問ㄨㄣˋ	to ask	1-6
ㄨㄤ	忘ㄨㄤˋ	to forget	4-49
ㄩ			
ㄩ	玉ㄩˋ米ㄇㄧˇ湯ㄊㄤ	corn soup	4-48

春姑娘

優美活潑　　　　　　　　　　　　　　　　沈秉廉　詞曲

春姑娘　　年紀小，　帶著暖風慢慢跑。

她既愛　花和葉，　她又愛　蟲和草。

她說道：「我來了，　你們不要再睡覺。」

花和葉，　蟲和草，　看見她來就醒了。

音階歌

中板

電線畫成 五線譜， 燕子填了小音 符，

ㄅㄛ ㄖㄨˋ ㄇㄧ ㄈㄚ ㄙㄛ ㄌㄚ ㄙ，　ㄅㄛ ㄙㄧ ㄌㄚ ㄙㄛ ㄈㄚ ㄇㄧ ㄖㄨˋ ㄅㄛ。

小羊唱著 咩咩咩！ 小貓 叫咪 咪！

ㄅㄛ ㄖㄨˋ ＝ ㄇㄧ ㄈㄚ ㄙㄛ ㄌㄚ ㄙ，　ㄅㄛ ㄙㄧㄚ ㄌㄛ ㄈㄚ ㄇㄧ ㄖㄨˋ ㄅㄛ。

來！大家唱

幼平 詞
基子 曲

來！大家歌唱，莫負好時光，

百鳥爭鳴，萬花開放！

一　片新氣象，處處新希望，

小朋友呀勤學習，大家來歌唱。

注音符號與漢語拼音對照表

注音符號	漢語拼音	注音符號	漢語拼音
ㄅ	b	ㄚ	a
ㄆ	p	ㄛ	o
ㄇ	m	ㄜ	e
ㄈ	f	ㄝ	ê
ㄉ	d	ㄞ	ai
ㄊ	t	ㄟ	ei
ㄋ	n	ㄠ	ao
ㄌ	l	ㄡ	ou
ㄍ	g	ㄧㄚ	ya, -ia
ㄎ	k	ㄧㄛ	
ㄏ	h	ㄧㄝ	ye, -ie
ㄐ	j	ㄧㄞ	
ㄑ	q	ㄧㄠ	yao, -iao
ㄒ	x	ㄧㄡ	you, -iu
ㄓ	zh	ㄧㄢ	yan, -ian
ㄔ	ch	ㄧㄣ	yin, -in
ㄕ	sh	ㄧㄤ	yang, -iang
ㄖ	r	ㄧㄥ	ying, -ing
ㄗ	z	ㄨㄚ	wa, -ua
ㄘ	c	ㄨㄛ	wo, -uo
ㄙ	s	ㄨㄞ	wai, -uai
空韻	-i	ㄨㄟ	wei, -ui
ㄢ	an	ㄨㄢ	wan, -uan
ㄣ	en	ㄨㄣ	wen, -un
ㄤ	ang	ㄨㄤ	wang, -uang
ㄥ	eng	ㄨㄥ	weng, -ong
ㄦ	er	ㄩㄝ	yue, -üe
ㄧ	yi, -i	ㄩㄢ	yuan, -üan
ㄨ	wu, -u	ㄩㄣ	yun, -ün
ㄩ	yu, -ü, -u	ㄩㄥ	yong, -iong

※中文拼音的種類繁多，有注音符號、漢語拼音、國語注音二式、威妥瑪拼音、通用拼音、國語羅馬字、耶魯拼音、法國遠東學院拼音、德國式拼音等數種拼音系統，本對照表係採用注音符號及漢語拼音。

兒童華語課本（二）中英文版

主　　編：王孫元平、何景賢、宋靜如、馬昭華、葉德明

出版機關：中華民國僑務委員會

　　　　　地址：臺北市徐州路五號十六樓

　　　　　電話：(02)2327-2600

　　　　　網址：http://www.ocac.gov.tw

出版年月：中華民國八十一年十二月初版

版(刷)次：中華民國一○四年十二月初版十四刷

定　　價：新臺幣八十元

展 售 處：國家書店松江門市(臺北市松江路209號，電話：02-2518-0207，
www.govbooks.com.tw)

　　　　　五南文化廣場(臺中市中山路6號，電話：04-2226-0330，
www.wunanbooks.com.tw)

承　　印：彩之坊科技股份有限公司

G P N：011099870146

I S B N：978-957-02-1649-3